Vidia y la corona de las Hadas

Vidia y la corona de las Hadas

ESCRITO POR
LAURA DRISCOLL
ILUSTRACIONES DE
JUDITH HOLMES CLARKE
Y THE DISNEY STORYBOOK ARTISTS

TRADUCCIÓN DE
JUAN MANUEL POMBO

Driscoll, Laura
    Vidia y la corona de hadas / Laura Driscoll ; traductor
Juan Manuel Pombo ; ilustradores Judith Holmes y the Disney
Storybook Artists. -- Bogotá : Grupo Editorial Norma, 2006.
    110 p. ; 21 cm.
    Título original. Vidia and the Fairy Crown.
    ISBN 958-04-9189-5
    1. Cuentos infantiles estadounidenses 2. Cuentos de hadas
3. Fantasía - Cuentos infantiles I. Pombo, Juan Manuel, tr.
II. Holmes, Judith, il. III. Disney Storybook Artists, il. IV. Tít.
1813.5 D74V 20 ED.
A1076571

    CEP-Banco de la República-Biblioteca Luis Ángel Arango

Texto de Laura Driscoll
Ilustraciones de Judith Holmes y the Disney Storybook Artists

Edición: Carolina Venegas Klein
Diseño y diagramación: Patricia Martínez Linares

Versión en español por Editorial Norma S.A.
A.A. 53550, Bogotá, Colombia.

Impreso en Colombia por Editora Géminis Ltda.
Printed in Colombia
Abril de 2006
ISBN 958-04-9189-5

Todo sobre las Hadas

Si te diriges hacia la segunda estrella a tu derecha y sigues volando en línea recta hasta el amanecer, llegarás al País de Nunca Jamás, una isla mágica en donde las sirenas no dejan de jugar y los niños nunca crecen.

Al llegar, es probable que alcances a escuchar algo parecido al tintineo de pequeñas campanas. Síguele el rastro a ese tintín y pronto te encontrarás en la Hondonada de las Hadas, el corazón secreto del País de Nunca Jamás.

Allí, en la Hondonada de las Hadas, se alza un viejo y enorme arce dentro del cual viven cientos de hadas y hombres gorrión. Algunos de ellos pueden hacer magia con el agua, otros pueden volar como el viento, y otros más hablan con los animales. Como ves, la Hondonada de las Hadas es el reino de las Hadas de Nunca Jamás y cada una tiene un talento especial, extraordinario.

No muy lejos de la Casa del Árbol, acurrucada en su nido entre las ramas de El Espino, permanece Madre Paloma, la más mágica de todas las criaturas. Desde allí, sentada sobre su huevo, cuida de las hadas que a su vez cuidan de ella. Siempre y cuando el Huevo de Madre Paloma se encuentre entero y en buen estado, nadie envejecerá en el País de Nunca Jamás.

Alguna vez, el Huevo de Madre Paloma en efecto se rompió. Pero aquí no vamos a contar la historia del huevo. Ahora llegó la hora de oír la historia de Vidia…

Vidia

y la

corona

de las

Hadas

Venid, todas y todos, hadas y hombres gorrión de Nunca Jamás, a la gran fiesta en conmemoración del Día del Arribo de Su Majestad Real la Reina Clarión.

·· ¿Dónde? ··

En el Gran Salón Comedor de la Casa del Árbol.

·· ¿Cuándo? ··

La próxima noche de luna llena, justo al caer el sol. ¡Para alegría de todas y todos, vistan sus mejores galas!

Todas las hadas y los hombres gorrión de la Hondonada de las Hadas recibieron la misma invitación, escrita a mano sobre lino con tinta de jugo de mora silvestre.

Sería la más grande celebración que tuviera lugar en la Hondonada de las Hadas en mucho tiempo, de manera que, el día de la fiesta, la Casa del Árbol hervía de movimiento. Las hadas de Nunca Jamás revoloteaban por todas partes, preparándose para celebrar el Día del Arribo de su bien amada Reina Clarion, apodada cariñosamente Ree.

En la cocina, en el primer piso de la Casa del Árbol, las hadas con talento para la cocina se apresuraban preparando la cena real de siete platos en conmemoración del Día del Arribo. El menú incluía hojas de diente de león rellenas de arroz, piñones y especies; sopa al horno de mini-calabaza, y empanadas de hojaldre estofadas con champiñones enanos y queso brie de ratón lechero. Dulcie, un hada panadera, producía lote tras lote de lo que constituía su especialidad: los más deliciosos pastelitos cubiertos con semillas de amapola de todo el País de Nunca Jamás. Y, a manera de postre, preparó una torta de frambuesa y vainilla de diez pisos, cubierta con crema de leche.

Entretanto, las hadas con talento para lustrar, brillar y pulir trabajaban duro en el corredor de entrada a la Casa del Árbol y en el gran salón comedor. Cada plato de bronce, cada perilla de cada puerta, todos los espejos, los pestillos de las ventanas y hasta la última baldosa de mármol se brilló hasta tal punto que las hadas podían verse reflejadas dondequiera que miraran.

Las hadas con talento para decorar y las encargadas de organizar la celebración volaban de aquí para allí por el gran comedor. Corrían mesas y sillas. Cubrían las mesas con manteles dorados y delicados encajes de telaraña. Esparcieron confeti de pétalos de flores sobre la gran mesa y el sobre el suelo también. Colgaron globos de colores del gran arco que daba entrada al salón.

Las hadas de la luz cumplieron una doble función. Algunas se encargaron de montar las farolas de luciérnagas que llenarían la habitación con miles de fugaces puntitos de luz y otras se dedicaron a ensayar el espectáculo de luz que esa noche le presentarían a la Reina. Con sumo cuidado y pericia subían y bajaban la intensidad de sus resplandores para crear un deslumbrante acto.

Las hadas costureras le daban los últimos toques al vestido de la Reina. Se trataba de un vestido enterizo y largo, una verdadera obra maestra de la más fina seda, bordado con pétalos de rosa pálida, delicadísimas hojas verdes y perlas de agua dulce.

Incluso Campanita, un hada con talento para reparar cazuelas, prestaba su ayuda: las hadas con el don de la cocina necesitaban en ese momento hasta la última olla y cazuela que pudieran alcanzar, de manera que aquella mañana Campanita había madrugado para terminar de arreglar todas las cazuelas rotas que tenía en su taller en el segundo piso de la Casa del Árbol. Luego, tras varios viajes de ida y vuelta entre el taller y la cocina, las devolvió todas reparadas.

En el curso de su último viaje a la cocina se cruzó con su amiga Rani, un hada con el don del agua. Rani había trabajado toda la mañana en la cocina. Utilizaba su talento para ayudar con una enorme cantidad de pequeñas tareas, como por ejemplo hacer que el agua hirviera más rápido sobre las hornillas.

—¡Rani! ¡Rani! —llamó Campanita—. ¿Tienes un minuto?

Rani observó el movimiento a su alrededor en la cocina. Todo parecía estar marchando la mar de bien, de manera que pensó que no la echarían en falta si salía un par de minutos.

—Sí, tengo tiempo —dijo Rani—. Ven, vamos atrás y yo le chiflo a Hermano Palomo. Quizá nos pueda llevar hasta la playa.

Como ves, Rani no tenía alas. Era la única hada en Nunca Jamás que no las tenía. Las había sacrificado para salvar el Huevo de Madre Paloma. Desde entonces, el Hermano Palomo se había convertido en las alas de Rani. Cuando Rani quería o necesitaba volar a algún lado, simplemente lo llamaba con un chiflido y el Hermano Palomo venía por ella.

Campanita y Rani abandonaron la cocina por la puerta de atrás y salieron a la luz de media mañana. Hacía un día claro, esplendoroso.

Campanita tomó una bocanada de aire fresco y empezó a decir:

—Va a ser una hermosa...

—...noche —terminó Rani por Campanita, Rani tenía la costumbre de terminar las oraciones que empezaban los demás—. Una noche perfecta para la fiesta.

Entonces, en ese momento, escucharon una especie de susurro en el follaje que les daba sombra. Ambas, Campanita y Rani, tuvieron un sobresalto.

—¿Será un halcón? —preguntó Rani alarmada; no había nada más peligroso para la seguridad y bienestar de las hadas de Nunca Jamás que un halcón hambriento.

Instintivamente, Campanita voló para ponerse al frente de Rani, protegiéndola. Luego entrecerró los ojos y examinó las ramas altas de los arbustos. Quería cerciorarse mejor.

Entonces, al tiempo que distinguió la silueta de un hada entre el follaje, se relajó y se llevó las manos a la cintura.

—No, ningún halcón —dijo Campanita riéndose—. Es Vidia.

Entonces, un hada de pelo muy negro descendió de las ramas como una bala para aterrizar al lado de Campanita y Rani.

—Hola, mis amores —dijo Vidia, exhibiendo una socarrona sonrisa.

Cuando se dirigía a alguien, sin importar quién fuera, Vidia no dejaba de soltar apelativos como "cariño", "mi amor" y "corazón". Sin embargo, el tonito con el que lo decía siempre dejaba a sus colegas, las hadas, preguntándose si lo que en verdad había querido decir no sería lo contrario.

—¿Y por qué no están ustedes dos, corazoncitos míos, adentro preparándose para la gran fiesta, como todas las demás haditas de mis amores, ah? —les preguntó Vidia.

—Estábamos —empezó a contestar Campanita—, y ahora estamos...

—...tomando un recreo —dijo Rani.

—¿Y tu excusa, cuál es Campanita? —insistió Vidia.

Campanita sabía muy bien que no existía la menor posibilidad de ver a Vidia echándoles una mano aquel día. La relación de Vidia con la Reina Ree era... cómo decirlo, complicada, para ponerlo de algún modo. Es más, de hecho, la relación de Vidia con todo el mundo en la Hondonada de las Hadas era complicada, si vamos a ello. Vidia era la más veloz de las hadas con talento para volar pero, un buen día, Vidia resolvió que ser la más veloz no era suficiente. Entonces, ávida de imprimirle más y más velocidad a su vuelo, hizo algo muy cruel: le arrancó, a mano limpia, diez plumas a Madre Paloma. Luego, las molió para producir unos polvillos de estrella súper poderosos, que sirvieron para hacer mucho más veloz su vuelo.

Tras ese incidente, la Reina Ree resolvió que no se podía dejar a Vidia cerca de Madre Paloma en ningún momento, de manera que le prohibió terminantemente aproximarse a Madre Paloma o estar en su compañía. Con el tiempo, Vidia se había alejado más y más de las otras hadas. Tanto, que era la única hada en la Hondonada de las Hadas que no vivía en la Casa del Árbol. A cambio, Vidia vivía sola en un ciruelo amargo que era de su propiedad. Y, honor a la verdad, la mayoría de las hadas y los hombres gorrión consideraban que no estaba para nada mal que hubiera una cierta distancia entre Vidia y ellos.

—¿Es que acaso piensas asomarte siquiera a la fiesta esta noche? —le preguntó Campanita a Vidia.

—¿A la fiesta de la Reina? —replicó Vidia con risa burlona—. Por supuesto que no, mi vida. Ir sería, francamente, lo que yo llamaría desperdiciar una noche por lo demás encantadora.

Dicho esto, hizo una pausa y luego pareció reconsiderar el asunto:

—A menos, claro, de que necesiten a alguien capaz de volar lo suficientemente rápido como para quitarle de la cabeza esa espantosa y chabacana corona que en ocasiones luce nuestra altanera y arrogante Reina Ree —dijo Vidia—. Ahí tienen, eso sí me parece que podría ser divertido. Es más, suena muy, pero muy tentador... con fiesta o sin ella. ¡Ah, qué más da! Ustedes dos, mis niñas, vayan y diviértanse mucho esta noche.

Dicho esto, Vidia remontó el vuelo y en una fracción de segundo había desaparecido.

Campanita y Rani se miraron la una a la otra y sacudieron las cabezas.

Ese mismo día, al atardecer, cuando ya se hundía el sol en el horizonte, el movimiento dentro de los aposentos privados de la Reina en la Casa del Árbol se aceleró con frenesí. Las cuatro ayudas de cámara de la Reina, las hadas Cinda, Rhia, Lisel y Grace, extendían las prendas, zapatos y joyas que Ree llevaría a la fiesta.

Lisel, con sumo cuidado, sacó del armario el elegante nuevo vestido de la Reina y lo extendió sobre la cama. Luego desabrochó los cuatro botones de perla para facilitar más tarde la postura del mismo.

Grace escogió, para la Reina aquella noche, unos tacones en punta, de seda rosada, y los colocó al pie de la cama.

Rhia abrió el joyero de la Reina y optó por un hermoso dije de caracola que colgaba de una cadena de plata e iba muy bien con el vestido de la Reina.

Entretanto, Cinda se dirigió a la salita de la Reina y se acercó al aparador donde se guardaba la corona real, sobre una mesita lateral. Obviamente, la Reina llevaría su corona puesta a la fiesta. No sólo era un corona sumamente hermosa sino que, además, era una vieja tradición que la Reina llevara su corona a cualquier celebración. La corona era el más especial de todos los tesoros que se encontraban en la Hondonada de las Hadas. A excepción del Huevo de Madre Paloma, era la única pieza que las hadas todavía poseían que se remontaba a los primeros tiempos de la existencia de las hadas en el País de Nunca Jamás. Había pasado de reina en reina a través de los siglos. Era invaluable e irremplazable.

De manera que, cuando Cinda abrió el aparador, se paralizó.

Allí no estaba la corona.

2

Cuando la Reina Ree recibió la noticia de la corona perdida, convocó a una reunión de emergencia. Veinticinco hadas mensajeras volaron disparadas desde la Casa del Árbol y se dispersaron en todas las direcciones para pedirles a todas las hadas y hombres gorrión de la Hondonada de las Hadas, que se reunieran de inmediato en el patio central de la Casa del Árbol.

De su parte, la Reina Ree esperó con paciencia, observando cómo iban llegando las hadas de dos en dos, o de tres en tres al claro en torno al árbol. Muchas de ellas se veían preocupadas y susurraban nerviosas entre sí.

—¿Qué será lo que ocurre? —susurró un hada.

—Debe ser una emergencia —susurró otra—, de lo contrario no la hubieran llamado reunión de emergencia.

—Pues la Reina sí que se ve muy seria —susurró un hombre gorrión.

En fin, terminaron por reunirse en un amplio círculo alrededor de su Reina Ree. Algunas de las hadas se sostenían casi inmóviles en medio del aire. Algunas se acomodaron de pie sobre el suelo musgoso. Algunas más se sentaron sobre los hongos que buenamente crecían allí o sobre pequeños guijarros. Todas y todos tenían los ojos fijos en la Reina, quien esperaba en silencio a medida que tanto la muchedumbre como el alboroto crecían.

Pronto, el patio se vio iluminado por el resplandor de cientos de hadas y hombres gorrión de Nunca Jamás. Incluso Vidia estaba allí. Acechaba medio escondida en las sombras desde un arbusto de moras silvestres. Finalmente, cuando la Reina Ree consideró que ya todos y todas es-

taban presentes, carraspeó para aclarar la voz y entonces todos, hadas y hombres gorrión, guardaron silencio.

—¡Hadas! ¡Varoniles gorriones! —empezó a decir en voz alta y resonante la Reina—. Los he convocado a esta reunión para hacerles saber que no habrá celebración esta noche.

Se alzó un murmullo entre la multitud. Las hadas intercambiaban entre sí miradas perplejas. ¿No se celebraría el Día del Arribo? ¿Después de tantos planes y preparaciones?

—Necesito de su ayuda para encontrar mi corona, que se ha extraviado hoy —continuó la Reina.

Al oír esto, el murmullo de la multitud se convirtió en un grito de alarma: ¡La corona... perdida! Todos y cada uno de los habitantes del País de Nunca Jamás, hadas y hombres gorrión, conocían la historia de la corona. Pero, ¿qué significaba esto? ¿Qué podía haber pasado con la corona?

—¿Quieres decir que alguien se robó la corona? —preguntó Campanita desde la raíz de un árbol sobre la que estaba posada.

—Vamos, vamos —dijo la Reina en un intento por calmar los ánimos—. No nos apresuremos a sacar conclusiones. Es probable que encontremos una buena razón para explicar por qué la corona no está donde debiera estar. Ahora bien, si trabajamos juntos, estoy segura de que la encontraremos.

—Está bien, pero dinos, ¿en dónde fue vista por última vez? —preguntó Terence, un hombre gorrión con talento para fabricar polvillos de estrella.

—¿Quién fue la última hada en verla? —agregó Campanita.

—¿Hace cuánto está pérdida? —preguntó Iridessa, un hada con talento para la luz.

Entonces la Reina Ree alzó sus brazos para apaciguar a la multitud y dijo: —Son todas muy buenas preguntas las que han hecho, pero no todas tienen aún respuesta. Sin embargo, quizá deba pedirle a mi hada ayudante de cámara, Cinda, que se acerque. Fue ella quien se percató de la falta de la corona. Una vez que hayan escuchado lo que Cinda tiene por decir, sabrán casi tanto como yo sobre todo este asunto.

Cinda, junto con sus compañeras de talento, estaba sentada en el primer círculo de los muchos anillos de hadas que rodeaban a la Reina. Su resplandor se incendió de vergüenza al encontrarse con los ojos de la Reina que se posaban sobre ella.

—No te asustes, amor —le dijo la Reina al tiempo que, con un gesto de la mano, le indicaba que se acercara—. Ven y simplemente cuéntales lo que a mí me contaste.

Muy lentamente, vacilante, Cinda voló hasta el centro de la multitud y se puso de pie al lado de la Reina.

—¿Qué puedo decir? Pues que no hay mucho que decir —dijo Cinda en voz apenas audible.

En fin, les contó a todos la impresión que le causó, un poco más temprano, esa misma tarde, encontrar vacío el aparador en donde se guarda la corona.

—Pensé que quizá —continuó diciendo Cinda—, otra hada ayuda de cámara se me había adelantado... es decir, que ya había sacado la corona del aparador y la había puesto sobre el tocador de la Reina. Pero cuando les pregunté a las otras hadas colegas por la corona, ninguna sabía nada de nada.

Cinda interrumpió su tímido discurso, miró a la Reina y continuó:

—¡No sabíamos qué hacer! ¡Nunca antes había ocurrido algo así! De manera que en el acto fuimos a contarle a la Reina lo que había ocurrido. Entonces ella convocó esta reunión de emergencia... y aquí estamos.

La Reina Ree le arrojó una calurosa sonrisa y le dijo: —Gracias Cinda.

Luego, mientras Cinda se reubicaba en su puesto en el Círculo de las Hadas en torno a la Reina, ésta alzó la mirada y se dirigió a la multitud:

—Bueno, ahora sí quisiera pedirles a todos algo... y lo hago en tono menos formal. Quiero que cada uno de ustedes piense en lo que ha ocurrido en los últimos días. ¿Alguna o alguno de ustedes ha visto, oído o hecho algo que hubiera podido tener algo que ver con la desaparición de la corona?

Durante un buen rato, nadie dijo nada. Las hadas se limitaban a seguir con ojos expectantes los círculos de personas que las rodeaban. Sus ojos saltaban de aquí a allá al menor de los sonidos: una tos, un susurro, un suspiro... sólo para descubrir que el hada o el hombre gorrión que lo había emitido, no tenía nada para decir después de todo.

Entonces, por fin, se alzó una vocecita que provenía de un racimo de hongos ubicados cerca de la puerta de entrada a la Casa del Árbol.

—Reina Ree —dijo Flor, un hada que tejía briznas de hierba—. Yo vi la corona ayer.

—¿La viste? —preguntó entusiasmada la Reina—. ¿Dónde? ¿Cuándo?

Todas las hadas y hombres gorrión contuvieron el aliento en espera de la respuesta de Flor.

—Bueno, tú la tenías puesta —dijo Flor—, ayer por la tarde, en el salón de té.

La multitud dejó salir un suspiro colectivo de frustración.

—Sí, sí, muy bien querida —espetó Vidia—. ¿Y quién no la vio ayer, a la Reina, con su corona bien puesta a la hora del té? Mira, corazón, ese no es el tipo de información que requerimos.

—Basta, Vidia, ya basta —le respondió la Reina con mirada severa—, Flor sólo está tratando de ayudar.

—Sí, Vidia, basta —dijo Rani, y parándose de un salto del guijarro en el que había estado sentada y llevándose las manos a la cintura, agregó—: Además, ¿recuerdas ese comentario tan desagradable que hiciste sobre la corona esta mañana? Entre otras cosas, ¿qué fue exactamente lo que dijiste?

Entonces, Campanita metió la cucharada antes de que Vidia pudiera responder: —Dijo que pensaba venir a la fiesta de la Reina Ree y con raudo vuelo arrebatarle la corona de la cabeza.

Todos los ojos cayeron sobre Vidia quien, a su vez, simplemente se cruzó de brazos apoyando su peso alternativamente en una y otra de sus piernas mirando con cara de pocos amigos a Rani y a Campanita.

—¿Y bien? —preguntó la Reina Ree dirigiéndose a Vidia—. ¿Es eso verdad? ¿Lo dijiste, Vidia?

—Hasta donde yo sé dije que no iría a la fiesta —replicó Vidia—. Y me temo que mis palabras exactas fueron: '...a menos, claro, de que necesiten a alguien capaz de volar lo suficientemente rápido como para quitarle de la cabeza esa espantosa y chabacana corona que en ocasiones luce nuestra altanera y arrogante Reina Ree'.

La multitud quedó perpleja, boquiabierta, muda. Atreverse a decir semejante cosa... y en frente de la Reina en persona. Bueno, pero así era la cosa, después de todo Vidia jamás se había destacado por irse con rodeos o tener pelos en la lengua.

—Eso no es todo —dijo Campanita—. Luego dijiste que la mera idea de alzarte con la corona te parecía divertida... que era algo que encontrabas muy tentador...

—'con fiesta o sin ella' —interrumpió Rani terminando la frase de Campanita—. Es cierto, también eso dijo.

La multitud volvió a quedar boquiabierta.

Vidia dejó salir una carcajada falsa.

—Ay, pero si todo esto es ridículo —dijo Vidia—. Sí, en efecto, tales cosas dije. Pero, a la hora de la verdad, ¿qué podría hacer con tu corona, Ree? Mejor dicho, no es que después de robarla yo pueda empezar a dar vueltas por ahí con esa cosa puesta en la cabeza, ¿verdad?

La Reina Ree se veía confundida.

—No, Vidia —replicó la Reina—. Eso no tendría sentido. Honestamente, no sé qué podrías hacer con la corona. Y, honestamente, tampoco quisiera creer que tienes algo que ver con su desaparición. Pero los cargos que te imputan son muy serios.

En este punto, la Reina interrumpió su discurso, cubrió con su mirada a todas las hadas y hombres gorrión que la rodeaban y preguntó:

—¿Hay alguien más que tenga información para compartir? ¿Cualquier cosa que pueda contribuir a descifrar la situación en la que nos encontramos?

Tanto la Reina Ree como la multitud esperaron en silencio un buen rato, pero nadie musitó palabra. Nadie tenía nada que agregar.

—Bien, en ese caso... —dijo la Reina, de nuevo dirigiéndose a Vidia—. En ese caso, no me queda más opción que decir lo que sigue. La corona es importante para todos nosotros. No me pertenece. Le pertenece a la Hondonada de las Hadas. Si llegásemos a encontrar que uno de nosotros la robó, la cosa sería muy seria.

Y tomó una gran bocanada de aire antes de proseguir:

—Y me temo que en ese caso, no tenemos más remedio que calificar el acto como uno de traición —dijo con tristeza—. Y el único castigo que se ajusta a ese crimen... es... destierro de por vida de la Hondonada de las Hadas.

La quijada de Vidia cayó abierta y sorprendida de la pura impresión:

—¡Esto es francamente increíble! —gritó—. ¡Qué cosa más injusta! ¿Ni siquiera tengo derecho a mi defensa? ¿Acaso no puedo probar que yo no lo hice?

—Claro que puedes —le replicó la Reina Ree—. Pero no esta noche. Es muy tarde. Todos estamos cansados.

Dicho esto, la Reina se alzó por los aires y una vez encima de la multitud, agregó:

—Hagamos una cosa, pasado mañana nos reunimos todos otra vez. Entonces escucharemos los descargos de Vidia a mediodía, y todos los que quieran venir podrán hacerlo. Y en cuanto a ti, Vidia, tendrás la oportunidad de defenderte de los cargos en tu contra.

De nuevo la Reina Ree hizo una interrupción, asintió solemnemente con la cabeza y cerró la reunión con las siguientes palabras:

—En el entretanto, si alguien llega a saber algo que pueda ayudarnos a encontrar nuestra corona, por favor déjenmelo saber. Gracias a todos por venir. Buenas noches.

Dicho esto, la Reina voló para entrar en la Casa del Árbol.

Una por una, uno por uno, las hadas y los hombres gorrión volaron camino a sus camas también. Muchos y muchas, de paso por sobre el patio, le lanzaron miradas fulminantes a Vidia. Otras y otros, optaron mejor por ni si quiera mirarla.

3

Vidia aún estaba conmocionada. Seguía sentada en el suelo a la sombra del mismo arbusto de moras silvestres con la mirada en blanco. Y no se movió de allí sino hasta cuando le pareció que por fin estaba sola. Entonces, tras un enorme suspiro, se puso de pie, giró... y vio a Prilla sentada sobre un hongo en el patio.

La bondadosa Prilla era una de las hadas más jóvenes de Nunca Jamás. Era más bien nueva en el mundo de la Hondonada de las Hadas y por lo tanto no conocía a Vidia tan bien como las demás. Sin embargo, había pasado más tiempo al lado de Vidia que muchas de ellas. Esto se debía a que Prilla, junto con Vidia y Rani, fueron un día escogidas por Madre Paloma para partir en una gran expedición en rescate del Huevo de Madre Paloma. Aquello no había sido fácil. Rani y Prilla se vieron obligadas a trabajar en equipo con Vidia para bien del País de Nunca Jamás. Y al final, habían tenido éxito.

Aquella vez, a lo largo del camino, para empezar, Prilla llegó a creer que había llegado a conocer a Vidia un poco mejor. Prilla sabía bien por

qué las hadas consideraban a Vidia un caso difícil. Algunas veces podía llegar a ser desagradable y egoísta. Y sí, en efecto, había desplumado a mansalva a Madre Paloma con el único propósito de conseguir unas cuantas plumas frescas para poder volar más rápido. Sin embargo, hacia el final de la gran expedición, Vidia se había visto obligada a resolver un dilema: podía compartir su poderoso polvillo de estrellas para salvar al País de Nunca Jamás o quedarse ella misma con todo el polvillo mágico mientras la isla iba perdiendo su magia.

Y Vidia optó por compartir.

Quizá eso explicaba en parte por qué Prilla se había quedado allí una vez terminó la reunión de emergencia. Contrariamente a algunas otras hadas, Prilla se negaba a creer que Vidia fuera integralmente mala.

—Vidia, ¿te encuentras bien? —le preguntó Prilla, volando para aterrizar al lado de la veloz hada.

Pero Vidia le indicó con un gesto de la mano que se alejara:

—Ahórrate tu compasión, cariño mío —dijo

Vidia, forzando una sonrisa que pronto desapareció—. ¿Acaso crees que estoy preocupada? Pues piénsatelo otra vez. Hay una razón específica por la que vivo sola y por mi cuenta y riesgo en el ciruelo amargo, y esa razón es que las encuentro a todas ustedes insoportables. ¿Qué más me da que me destierren de la Hondonada de las Hadas si de todas maneras el sitio me parece insufrible?

Pero Prilla no se comió el cuento. Alcanzaba a ver miedo en los ojos de Vidia. Cierto, claro que también sabía que a Vidia le irritaba la Hondonada de las Hadas, pero ni siquiera Vidia querría verse obligada a dejar su hogar y vivir aislada y sola para siempre lejos de los suyos.

—Te ayudaré, Vidia —se ofreció Prilla—. Mañana iniciaremos una investigación. Podemos preguntar por ahí y ver si logramos descubrir qué fue lo que en realidad pasó con la corona. Es como si fuera un misterio que necesita ser aclarado, ¿no te parece? ¡Seremos detectives! —exclamó por último dando una voltereta en el aire.

Vidia frunció el ceño y observó a Prilla de reojo.

—¿Y por qué querrías ayudarme —preguntó Vidia con suspicacia—. ¿Y cómo sabes que no fui yo quien se alzó con la corona?

De nuevo con los pies sobre la tierra, Prilla se encogió de hombros.

—La verdad no lo sé —dijo Prilla—. Quizá sí fuiste tú. Pero no lo creo.

Vidia se percató de que Prilla no había contestado a su primera pregunta.

—Bueno, pero ¿y por qué te empeñas en ayudarme, cariño? —insistió Vidia.

Prilla pensó el asunto un rato. Cuando llegó por vez primera a la Hondonada de las Hadas, tuvo problemas para descubrir cuál era su talento. Y los talentos son cosa muy importante. Las hadas pasan mucho tiempo en compañía de sus colegas de talento. Comen juntas. Sus mejores amistades generalmente se dan entre miembros del mismo talento. De manera que, sin saber a ciencia cierta cuál era su talento, a Prilla no le fue fácil ubicarse en la Hondonada de las Hadas.

Finalmente, Prilla descubrió que ella era la primera hada con talento para visitar Tierra Firme

y hacer aplaudir a los niños. Su talento carecía de colegas. Pero entonces, otras hadas la habían hecho miembro honorario de sus respectivos talentos. Con el tiempo, Prilla se había ajustado a la vida en la Hondonada de las Hadas. Había hecho muchas nuevas amistades. Había encontrado su sitio.

Y Prilla no olvidaba aquellos primeros días.

Entonces, Prilla miró a Vidia a los ojos:

—Quiero ayudarte —dijo—, porque recuerdo muy bien lo que se siente cuando se está solo.

Vidia le sostuvo la mirada a Prilla y así estuvieron un largo rato, mirándose de frente, en silencio. Vidia jamás le había pedido ayuda a nadie y no estaba acostumbrada a recibirla, de manera que en este momento no sabía muy bien qué decir o hacer.

Hasta que, de pronto, Vidia dirigió su mirada a otro lado, carraspeó, alzó la vista hacia las estrellas y carraspeó un vez más:

—Está bien.

Eso fue todo lo que por fin dijo.

Y fue apenas un susurro, pero Prilla alcanzó a oírlo y comprendió.

A LA MAÑANA SIGUIENTE Vidia y Prilla se cruzaron después del desayuno en el vestíbulo de la Casa del Árbol.

—¡Vidia! —exclamó Prilla al ver a la veloz hada cruzar como una bala la puerta de entrada; Prilla ansiaba compartir con Vidia unas ideas que había venido cocinando para iniciar la investigación y había elaborado además una lista de hadas a las que podían interrogar y algunas pistas que podían seguir—. Vidia, estuve pensando que...

—¿Pensando? —replicó Vidia sin detener su vuelo, de manera que Prilla se vio obligada a correr para alcanzarla y, una vez lo hizo, Vidia prosiguió con insolencia—: ¿Y por qué te dio por empezar a experimentar con eso, mi corazón?

Como es apenas obvio, Vidia no iba a ser amable con Prilla simple y llanamente porque Prilla hubiera ofrecido su ayuda.

—Ven, vamos —siguió Vidia—. Empezaremos interrogando a las ayudas de cámara de la Reina.

Prilla hizo enormes esfuerzos por no rezagarse, al tiempo que volaban en dirección al segundo piso de la Casa del Árbol. Giraron al llegar al corredor sur-oriental y pronto alcanzaron la habitación 10-A, donde vivía la Reina Ree.

Vidia golpeó fuerte a la puerta. Al no recibir respuesta inmediata, volvió a golpear impaciente y esta vez más fuerte.

Cinda abrió la puerta y asomó la cabeza al corredor.

—Ah, eres tú, Cinda —dijo Vidia, casi empujándola para entrar a la sala de estar de la Reina sin esperar a que fuera invitada a seguir—. Qué pequeña hada tan valiente y corajuda mostraste ser ayer, mi vida... atreverte a salir al frente y contar tu cuento delante de esa enorme e intimidante multitud —continuó diciendo Vidia, ahora exhibiendo una sonrisita empalagosa y forzada—. Sin embargo, tenemos un par de preguntitas más que quisiéramos hacerles a todas. ¿Verdad Prilla?

Prilla apenas si acababa de llegar al umbral de la puerta abierta. Nunca antes había estado dentro de los aposentos de la Reina y, de pie, desde allí, observaba el entorno. Las paredes de la sala de estar eran de un color durazno suave, había varios sofás muy apoltronados y el suelo lo cubría una alfombra con motivos florales. Al fondo se veían las paredes aguamarinas del dormitorio de la Reina y, desde donde Prilla estaba, alcanzaba a ver una de las esquinas de una enorme y alta cama con dosel.

Las otras tres ayudas de cámara, Rhia, Lisel y Grace, salieron volando del dormitorio de la Reina cargando una pila de ropa de cama hecha con la más suave de las sedas de telaraña, detuvieron abruptamente su vuelo al ver a Vidia.

—¿Qué hace esa mujer aquí? —le preguntó Lisel a Cinda con un mohín de desdén.

Rhia y Grace también observaban con recelosa inquietud a Vidia. Era obvio que, en lo que a ellas concernía, Vidia era la culpable del robo de la corona.

Prilla se adentró un poco más e intentó suavizar la tensión:

—Sólo queremos hacerles un par de preguntas sobre lo que ocurrió ayer —dijo Prilla, un poco a la expectativa—, para poder preparar la defensa de Vidia mañana.

—¿A nosotras? —dijo Grace, sus ojos abiertos de sorpresa e incredulidad—. Prilla, ¿en serio estás ayudándola?

Prilla se encogió de hombros y su resplandor empezó a encandecer.

—Sí —contestó Prilla—. No hay la menor prueba de que Vidia se llevara la corona.

—De acuerdo, no todavía —murmuró Lisel casi para sí, se dio vuelta y entonces condujo a Grace, Rhia y Cinda hasta una enorme mesa que descansaba en uno de los extremos de la sala, donde acto seguido acomodaron las sábanas y fundas de almohadas y donde se dispusieron a doblarlas bien.

—Miren, vidas mías —dijo Vidia, cruzando al vuelo el salón para detenerse en el aire sobre las hadas que doblaban la ropa de cama—. Todo lo que quiero saber es cuándo cada una de ustedes vio por última vez la corona. Es su deber, como ayudas de cámara que son, cuidar de las pertenencias de su majestad, ¿verdad? Sin embargo, ¿no será posible que, en este caso, algo se les haya escapado, que no tengan registro de alguna pequeñez? ¿Quizá no recuerden bien cuándo vieron por última vez la corona?

Pero el orgullo de las ayudas de cámara estuvo a la altura del reto de Vidia.

—¡Pero claro que lo recordamos! —protestó Grace—. La última vez que vi la corona fue anteayer, al anochecer. Yo misma la guardé en el aparador después de que la Reina Ree se la pusiera para la cena.

Lisel asintió.

—Correcto —dijo, colocando una nueva sábana bien doblada sobre la pila que iba creciendo—. Yo vi a Grace guardándola esa noche. Estaba aquí mismo, en esta sala, cuando lo hizo. Y esa fue la última vez que vi la corona.

Cinda, de su parte, al tiempo que sacudía una funda para desarrugarla, agregó:

—Yo vi la corona ayer por la mañana, cuando Rhia la sacó del aparador para asegurarse de que estuviera lista para la celebración, ¿verdad, Rhia?

—Así es —contestó Rhia—. Saqué la corona y empecé a sacarle brillo... y entonces noté que tenía una pequeña abolladura.

En este punto Rhia hizo una pausa y miró a sus colegas, una por una, antes de proseguir:

—Bueno, pues no me pareció indicado que la corona de la Reina tuviera una abolladura el día en que se celebraba su propia fiesta, de manera que llevé la corona al taller de reparación de coronas para que la arreglaran.

Las otras dos hadas asintieron.

En ese instante Vidia voló rauda para hacerse al lado de Rhia.

—¿Y cuándo fue eso? —preguntó Vidia.

—Ayer por la mañana —replicó Rhia, quien luego prosiguió a narrar cómo había guardado la corona en su correspondiente bolso de terciopelo negro y luego la había llevado hasta el taller donde la dejó en manos de Aidan, el hombre gorrión que repara coronas. Le mostré cuál era el daño y le dije que había mucha prisa. Por último le pedí que la trajera de vuelta a los aposentos de la Reina cuando hubiera terminado.

—Ya veo—dijo Vidia—. ¿Y lo hizo? ¿La trajo de vuelta?

Rhia asintió con la cabeza de manera enfática.

—Sí —dijo, pero luego frunció el ceño—, quiero decir, creo que sí lo hizo —continuó, ahora su resplandor se intensificó—: Bueno, en efecto, no lo sé a ciencia cierta.

Las otras tres ayudas de cámara interrumpieron su oficio de doblar la ropa de cama observando detenidamente a Rhia.

—Rhia —dijo Lisel muy consternada—, ¿qué quieres decir con que no lo sabes a ciencia cierta?

—Pues... este... que... quiero decir... que... —tartamudeó Rhia—. Mejor dicho, le dije a Aidan que era probable que yo no estuviera aquí para cuando la trajera de vuelta porque iba a estar entrando y saliendo. Así que le dije que la dejara con cualquiera de nosotras, la que estuviera presente.

Los ojos de Rhia buscaron los de sus colegas, y expectante, les preguntó:

—¿Ninguna de ustedes lo vio traer la corona de vuelta?

Lisel negó con la cabeza.

—Yo no —dijo Grace.

—Yo tampoco —dijo Cinda.

Entonces Rhia se llevó la mano a la boca para ahogar un poco su grito:

—¡Ay, no!

Prilla, al ver lo que ocurría, le lanzó una mirada a Vidia que quería decir: "¡Ajá, con que esas tenemos!" antes de decir con todas sus letras lo que sigue:

—Bueno, si Rhia le llevó la corona a Aidan y ninguna de ustedes vio la corona después de eso...

—Vamos, Prilla —la interrumpió Vidia al tiempo que se disparó a la puerta—, vamos, porque tenemos que hacerle una visita urgente a cierto hombre gorrión repara-coronas.

Para cuando Prilla alcanzó a Vidia en el quinto piso de la Casa del Árbol, Vidia ya interrogaba a Aidan en su taller.

—¿Qué quieres decir con que no viste la corona ayer? —gritaba a todo pulmón Vidia, suspendida en el aire sobre Aidan, que la miraba sentado en su banca de trabajo—. ¡Rhia dice que te la trajo para que la arreglaras!

—¡Y lo hice! ¡Así fue! —se oyó una voz que exclamaba a espaldas de Prilla quien, al darse vuelta, se topó con Rhia, de pie, en la puerta del taller.

Prilla no se había dado cuenta de que Rhia la había seguido desde los aposentos de la Reina

porque también ella, Rhia, quería conocer la versión de Aidan.

Aidan, por su parte, se rascaba nerviosamente su mata de pelo rojo zanahoria y parecía aturdido. Momentos antes, había tenido todo su taller en paz y silencio para sí mismo... como casi siempre, dicho sea de paso. El talento de Aidan era uno muy especializado. Después de todo, en la Hondonada de las Hadas no había muchas coronas estropeadas para reparar. Es más, de hecho, en toda la Hondonada de las Hadas no había muchas coronas estropeadas o no. Así las cosas, Aidan pasaba mucho tiempo solo perfeccionando los tejemanejes de su oficio como reparador de coronas.

Como resultado de este trabajo en solitario, Aidan era más bien tímido y, además, Vidia lo intimidaba. Y ahora, de buenas a primeras, aquí estaba, revoloteando encima de su cabeza y dando alaridos.

—Por favor —dijo Aidan, alzando las manos en señal de rendición—. Te... te estoy diciendo la verdad. A Rhia sí que la vi ayer, pe... pe... pero la corona de la Reina jamás la vi.

Rhia cruzó a vuelo el taller y aterrizó al lado de Aidan.

—¿Pero no te acuerdas? —preguntó Rhia.

Y luego procedió a contar de nuevo su visita al taller el día anterior: cómo le había pedido a Aidan que reparara la abolladura en la corona, cómo le había señalado la urgencia del asunto y cómo había dejado allí mismo la joya.

—Es más, luego te pedí que la llevaras de vuelta a los aposentos de la Reina una vez que hubieras terminado. Entonces, dime, ¿por qué no lo hiciste?

Los ojazos verdes de Aidan se iban abriendo más y más a medida que Rhia contaba su historia.

—¿Ese fue el motivo de tu visita a mi taller ayer? —le preguntó Aidan—. Rhia, ayer, cuando viniste, acababa de terminar un trabajo con mi taladro para piedras preciosas —continuó diciendo Aidan al tiempo que se inclinaba para recoger una herramienta que estaba en el extremo de su banca de trabajo y que parecía una mezcla entre destornillador y batidora de cocina—. Opera muy bien, pero hace un estruendo espantoso. Ven te muestro.

Aidan recogió entonces un trozo de cuarzo de una pila de piedras que tenía a su izquierda. Colocó la punta de la broca sobre la superficie del cuarzo y con la otra mano accionó la manivela del taladro. Entonces, un estrépito ensordecedor, de tono agudísimo, llenó el taller. Vidia, Prilla y Rhia se taparon los oídos con las manos.

—¡Basta! ¡Ya basta! ¡No sigas! —gritó Vidia sobre el estruendo y Aidan dejó de taladrar.

Prilla se descubrió los oídos y dijo:

—¡Caramba, Aidan! ¿Cómo lo soportas?

A lo que Aidan se llevó las manos a los bolsillos de sus holgados overoles de trabajo.

—Uso estas cosas —dijo abriendo las manos para mostrar varios tapones hechos con pelusa de diente de león, dos de los cuales acto seguido se metió en cada oreja.

—Vamos al grano —dijo Vidia impaciente—. ¿Qué tiene que ver todo esto con la corona perdida?

—¿QUÉ DICES? —gritó Aidan.

Vidia suspiró y le sacó bruscamente los tapones de los oídos:

—¡TE DIGO QUE ME IMPORTAN UN PEPINO TUS TAPONES DE OÍDOS! —gritó Vidia con aún más fuerza.

Aidan retrocedió un poco, alejándose de Vidia y optó, mejor, por dirigirse a Rhia.

—Bueno, pues cuando viniste ayer, yo te estaba dando la espalda, ¿verdad?

Rhia asintió.

—Y además tenía puestos los tapones de pelusa —continuó Aidan—, porque precisamente estaba trabajando con el taladro, de manera que sea lo que sea que me hayas dicho, yo no te oí. Cuando me di vuelta y te vi en la puerta, te saludé con la mano. ¿Te acuerdas? Y luego tú simplemente diste media vuelta y adiós. De manera que yo pensé que sólo habías pasado a saludar.

Rhia se llevó las manos a la cabeza.

—Y yo pensé que tu saludo significaba que habías escuchado perfectamente todo lo que te dije —casi gruñó Rhia, y entonces se le vino una idea a la cabeza—: Pero hayas oído o no, igual yo sí dejé la corona aquí —dijo mientras volaba a una mesa de corteza de árbol que estaba cerca de la puerta de entrada al taller para señalar un punto exacto sobre la misma—. La dejé metida dentro del bolso de terciopelo negro, justamente aquí.

Pero claro, sobre la mesa no había ni indicios de corona o de bolso, sólo un arrume de virutas metálicas.

—Bueno —dijo Prilla, con tono más bien esperanzado—, quizá esté por aquí en algún lado.

Dicho esto, se inclinó para mirar debajo de la mesa y Rhia se dirigió a examinar algunos apáradores que estaban cerca.

Pero no encontraron por allí corona ni bolso de terciopelo que valieran.

Prilla dejó salir un suspiro.

—Aidan —dijo—, ¿alguien más vino a tu taller ayer? ¿Alguien fuera de Rhia?

Aidan recapacitó un rato y finalmente asintió con la cabeza.

—Sí, Twire pasó por aquí.

—¿Twire? —preguntó Rhia— ¿el hada con talento para Reciclar Metal?

Aidan volvió a asentir y señaló con el dedo el arrume de viruta que reposaba sobre la mesa al lado de la puerta de su taller.

—Sí, vino, y recogió toda la viruta de ayer. Ella luego la funde y la recicla.

Prilla soltó un grito ahogado

Rhia gimió y gruñó.

Vidia frunció los labios y sacudió la cabeza.

—¿Qué pasa? —preguntó Aidan.

Vidia le lanzó a Aidan una de su consabidas sonrisas de desdén y sorna.

—¿Pero no lo ves, no entiendes, mi cachorrito? —dijo—. Si la corona estaba sobre esa mesa, al lado de la viruta de metal, cuando Twire vino a recogerla...

—...bien pudo haberse llevado la corona junto con todo lo demás... —continuó Rhia la reflexión.

Prilla tragó saliva:

—¡Y la fundió!

6

—¡Vuela, Vidia, vuela! —gritó Prilla, y la más veloz de las hadas con talento para volar en toda la Hondonada de las Hadas salió zumbando del taller de Aidan y se disparó camino adonde Twire, el hada Recicla Metal.

En medio de su raudo vuelo, Vidia se preguntaba por qué le importaba tanto rescatar la corona de la Reina. "¿Qué más da si llego demasiado tarde? ¿Qué más me da si el arrume de chatarra ya lo fundieron?", pensaba. "A mí ni me va ni me viene. Igual ya tengo por lo menos dos hadas a las que puedo vincular a la desaparición de la coronita: Rhia y el hombre gorrión Aidan."

Con toda seguridad, la Reina Ree no la desterraría una vez que oyera lo que Rhia y Aidan tenían para decir.

Con todo, Vidia continuó su raudo vuelo camino al taller de Twire y se dijo a sí misma que lo hacía porque le sería más fácil limpiar del todo su nombre si encontraba la corona. ¿O sería más bien que... que en efecto a Vidia sí le importaba aquella cosa, aquella corona que era uno de los

tesoros más antiguos y preciados de la Hondonada de las Hadas?

El taller de reciclado de metal de Twire quedaba en el tercer piso de la Casa del Árbol y, en su carrera, Vidia abrió y entró por la puerta sin antes golpear para instalarse de una sobre un juego de carillones metálicos que colgaba del techo.

Prrrriiinnnngggg resonaron las campanas con fuerza en el momento en el que Vidia arremetió sobre ellas y, en el otro extremo del taller, una Twire sorprendida levantó la mirada interrumpiendo su tarea, que constaba en arrojar sobras y virutas de aluminio y cobre en un enorme tanque lleno de metales fundidos.

—¡Detente!— gritó Vidia—. ¡Deja de hacer inmediatamente lo que estás haciendo!

Twire se quitó sus antiparras protectoras de cristal de mar y las limpió con sus overoles.

—¿Pero qué te pasa? —le preguntó a Vidia con toda la calma del mundo, mientras volvía a ponerse sus antiparras.

Twire era una de esas hadas que siempre le veía el lado bueno a las cosas. Aun en la más desesperada de las situaciones siempre veía esperanza, del mismo modo que veía belleza hasta en el más insignificante pedazo de hierro, no importa qué tan torcido u oxidado estuviera. A Twire le apasionaba convertir cualquier despojo en un objeto bonito. Y allí había para la muestra muchos botones por todos lados en su taller: los carillones colgando de la puerta, el móvil de hadas en pleno vuelo junto a la ventana, la lámpara sobre la mesa de trabajo, todos hechos con desperdicios metálicos.

Twire, además, creía que casi todas las situaciones malas o difíciles pueden tornarse en situaciones buenas: un vaso nunca estaba medio vacío sino más bien medio lleno. De manera que cuando Vidia empezó a buscar como loca por entre la pila de desechos metálicos que Twire estaba en proceso de fundir, ésta última intentó serenarla.

—Sea lo que sea, Vidia, cuenta con mi ayuda, pero eso sí, cuéntame de qué se trata —le dijo.

Justo en ese momento llegó Prilla, ligeramente ahogada, y se puso a observar a Vidia que en ese instante arrojaba un pedazo de cobre por encima y detrás de su hombro. La pieza cayó al suelo con un estruendo.

—¡La corona de la Reina! —espetó Vidia—. ¿La has visto?

Twire negó con la cabeza:

—No, Vidia, no la he visto —dijo Twire muy tranquila—. ¿Qué te hace pensar que pueda estar aquí? —y ahora dirigiéndose a Prilla, agregó con dulzura—: Hola Prilla, ¿vienes con Vidia?

A pesar de que Twire se sorprendió al saber que en efecto Prilla venía con Vidia, no dijo nada al respecto.

Vidia abandonó su desesperada búsqueda, soltó un suspiro de frustración y entonces repitió impaciente, una por una las palabras que había dicho Aidan, a saber, que Twire había recogido su chatarra el día anterior.

Twire asintió:

—Es cierto —dijo—. Todos los días recojo la chatarra de Aidan. Ayer la traje, la separé y ordené y empecé a fundir algunos pedazos.

Prilla vio como Vidia se inclinaba amenazante sobre Twire.

—¿Y estás absolutamente segura de que no encontraste nada inusual mezclado con el metal y la chatarra? —preguntó Vidia—. Piénsalo bien, mi amor. La corona podía estar envuelta en un bolso negro de terciopelo.

Al oír esto, Twire dio un respingo.

—¿Terciopelo? —dijo Twire, con la cara iluminada—. ¡Sí, sí que vi un pedazo de terciopelo en el arrume!

Ahora sonrió y le dio un par de palmaditas en la espalda a Vidia, para luego continuar animándola:

—Como ves. Vamos por buen camino. Pronto resolveremos este lío.

—¡Déjate de tonterías! —espetó una vez más Vidia con impaciencia y, sacudiendo el brazo que Twire ocultaba a sus espaldas, agregó—: ¡Simplemente dime qué hiciste con ella!

Twire suspiró. ¡Qué hada tan negativa era Vidia! Y acto seguido voló hasta una pequeña puerta que había en la pared al fondo del taller. Vidia y Prilla la siguieron.

—Y bien, les cuento que no tenía idea que

se tratara de un bolso —explicó Twire—. Y les cuento también que no sentí que hubiera nada dentro. Sin embargo, la corona de la Reina Ree bien puede ser el objeto más ligero y delicado que jamás se haya hecho. Quizá por eso mismo pensé que se trataba de un poco de tela sobrante que nadie quería. Estaba segura de que podría usarla para algo, pero tenía sus manchas de óxido aquí y allá, por aquello de que estuvo dando vueltas entre toda esa chatarra.

Finalmente, Twire abrió una puertita cuadrada en la pared, que a su vez daba a un vertedor metálico que descendía a una oscuridad total.

—De manera que arrojé la bolsa por el conducto por el que tiro la ropa de lavar —dijo.

7

VIDIA DESPEGÓ TAN RÁPIDO, que Prilla se vio en
problemas para alcanzarla, a pesar de que volaba
tan rápido como le era posible. Tan rápido, en
efecto, que cuando Vidia se detuvo un instante
en la escalera central de la Casa del Árbol, entre
los pisos tercero y segundo, Prilla estrelló por detrás a Vidia y luego cayó ella misma de espaldas.

—¡Uf! —exclamó Prilla.

—Oye, mira bien por dónde vuelas —le gritó Vidia a su vez lanzándole una mirada venenosa
antes de continuar su vuelo al primer piso donde
quedaba la lavandería.

Prilla la siguió y desde atrás le gritó:

—¡Bueno, al menos Twire no fundió la corona!

—¡Correcto! —ladró Vidia por encima del hombro—. No la fundió. No contamos con tanta suerte.

Prilla no se lo podía creer y sacudió la cabeza en medio de su vuelo hasta el cuarto de lavandería. Al final de las escaleras, tomaron por el corredor que conducía a la cocina. Allí, esquivando las

hadas que cocinaban horneaban y lavaban loza, cruzaron la cocina y continuaron luego su vuelo por otro corredor. Al fondo se veía una puerta de vaivén con una pequeña ventana redonda.

Empujando la puerta, Vidia y Prilla se encontraron en medio del cuarto de lavandería de la Casa del Árbol. Era una habitación enorme de techos muy altos de casi cincuenta centímetros de altura. Las blancas paredes pintadas a cal y las luces encendidas en lo alto hacían resplandecer el recinto como si fuera el lugar más limpio del mundo. Hadas y hombres gorrión con talento para el aseo volaban de un lado a otro. Algunos y algunas cargaban canastos con ropa sucia a las hileras de tinas donde lavaban la ropa, otros restregaban que daba gusto. Algunos más empujaban carritos suspendidos de globos con polvillo de estrellas llenos de pesada ropa mojada. Otros y otras más, de pie frente a largas mesas, doblaban la ropa limpia.

Cientos de tolvas particulares que descendían de todos los pisos y de cada taller y cada habitación, conducían finalmente aquí, a la la-

vandería. La ropa sucia caía en unos canastos. La boca de cada tolva estaba marcada con el número y el piso de la habitación de donde provenía.

Vidia y Prilla buscaron la tolva 3G, la que salía del taller de Twire. Un hada del aseo, Lympia, estaba de pie bajo la dicha tolva, y examinaba la ropa que había en el canasto correspondiente. Prilla le preguntó si había trabajado allí mismo el día anterior. Cuando Lympia le contestó que sí, Vidia se abalanzó con su interrogatorio:

—¡Dime, ayer, encontraste algo digamos que... que poco usual entre la ropa de Twire? —preguntó Vidia sin más rodeos.

—¿Qué quieres decir con "poco usual"? —replicó Lympia, observando a Vidia con no poca desconfianza. Al igual que las hadas ayudas de cámara de la Reina, Lympia no confiaba en Vidia y, por lo tanto, cambiando de interlocutora, se dirigió a Prilla—: Oye, Prilla, ¿qué es lo que pasa?

—Estamos siguiendo el rastro de la corona perdida —explicó Prilla, y luego le redondeó brevemente la historia de lo que hasta ese momento sabía y había ocurrido.

Le contó a Lympia todo el asunto de cómo Rhia había dejado la corona en el taller de Aidan y cómo ésta había sido recogida accidentalmente por Twire. Y por último, cómo Twire la había botado por el conducto de la ropa sucia sin saber lo que contenía.

—Ahora, dime —le preguntó Prilla a Lympia—, ¿estás segura de que no te encontraste un bolso de terciopelo negro entre la ropa sucia de Twire ayer?

Al oír esto, Lympia tuvo un sobresalto:

—¡Ay! —exclamó—. Pues qué te digo, sí, sí me encontré algo como de terciopelo, no sé muy bien qué era. Pero, ¿qué tiene que ver eso con nada?

Vidia suspiró profundo.

—Preciosa, que la corona estaba dentro de ese bolso —dijo y sonaba seriamente irritada—. Francamente, si alguien se hubiera tomado la molestia de mirar dentro del maldito bolso, yo no estaría metida en este lío.

Lympia, volviendo los ojos al cielo, de nuevo optó por dirigirse a Prilla.

—Mira, ayer, mientras separaba la ropa sucia de Twire en colores claros y oscuros, me encontré con el retal de terciopelo y lo hice a un lado porque, obviamente, no podía lavarse con el resto, necesitaba lavarse de manera especial.

Prilla asintió. La cosa tenía mucho sentido, y entonces le preguntó:

—Muy bien, entonces, ¿dónde lo pusiste?

Lympia hizo una pausa larga mientras se lo pensaba un rato y luego dijo:

—Sabes una cosa... no sé muy bien.

Vidia soltó una carcajada de suficiencia.

—Bonita cosa —dijo con tonito falso—. Mañana, durante la audiencia en la que debo explicarme, simplemente diré que rastreamos la corona hasta el cuarto de lavandería. Pero que allí, llegamos a un callejón sin salida, por la sencilla razón de que Lympia no supo decir dónde había dejado el más preciado bien de la Hondonada de las Hadas.

Dicho esto, Vidia hizo ademán de que se marchaba, no sin antes agregar:

—¡Esto es una soberana pérdida de tiempo!

El resplandor de Lympia parecía un incendio.

—¡No, espera! —gritó Lympia.

Vidia se detuvo y se dio vuelta.

—Déjame recordar cada uno de mis pasos —dijo Lympia, ahora dirigiéndose a Prilla—. Quizá así pueda recordar qué pasó con el bolso de terciopelo.

Así, Vidia y Prilla siguieron a Lympia hasta el depósito de los carritos suspendidos de globos.

—Ayer por la tarde, después de organizar la ropa sucia de Twire, recogí un carrito transportador y allí lo eché —dijo Lympia, al tiempo que sacaba uno de los carritos para mostrarles—. La ropa blanca la eché en un canasto y la oscura o de colores en otro; el bolso de terciopelo lo puse en el fondo del carrito.

Ahora las dos hadas, Vidia y Prilla, seguían a Lympia, quien empujaba el carrito en dirección a las tinas de lavar.

—Entonces —continuó Lympia—, puse la ropa clara de Twire en el agua y dejé el canasto al lado de las tinas.

La siguieron hasta los fregaderos.

—Aquí refregué algunas manchas en una pieza oscura.

De vuelta en las tinas Lympia agregó:

—Entonces puse la ropa de color oscuro a remojar en el agua y dejé el canasto frente a la tina mientras lavaba.

La siguieron de nuevo hasta el área de depósito de los carritos transportadores y, mientras Lympia amarraba el que acababa de tomar prestado, agregó:

—Y, por último, traje de vuelta el carrito transportador y me tomé un descanso mientras dejaba la ropa en remojo.

En este punto, se llevó la mano a la frente.

—Supongo que olvidé sacar el bolso de terciopelo del carrito antes de devolverlo a su lugar —confesó Lympia avergonzada.

8

Lympia no tenía la menor idea de quién pudo haber usado el mismo carrito después de ella, pero lo que sí tenía era una nueva pieza para sumar al rompecabezas.

—Ayer muchísimas de las hadas del aseo estaban dedicadas a lavar y doblar manteles para la fiesta del Día del Arribo —recordó Lympia—. Y todos los manteles y las servilletas limpias y bien dobladas los cargaron en los carritos transportadores. Luego vinieron las hadas encargadas de los preparativos y la decoración a recogerlos. ¿Quizá una de ellas recogió el carrito con el bolso dentro... oculto bajo la ropa de mesa limpia?

Prilla le dio las gracias a Lympia por su ayuda, pero Vidia ya iba a medio camino en busca de la puerta de salida.

—¡Oye, Vidia, espérame! —gritó Prilla, corriendo detrás de la veloz hada.

Vidia, que bufaba de ira, la esperó fuera del cuarto de lavandería.

—¡Llevamos toda la mañana en esto y no estamos ni una pizca más cerca de encontrar la tal corona!

Prilla sonrió y le dio un par de palmaditas en la espalda a Vidia.

—Claro que sí estamos más cerca —le dijo Prilla intentando animarla—. Es más, creo que estamos sobre la pista. Poco a poco hemos ido atando cabos. Ya casi vamos a resolver el misterio. Aún más, Vidia —agregó Prilla, sus ojos azules brillando de la emoción—: y tienes que admitirlo, la cosa ha sido divertida.

Vidia hizo un mohín antipático con los labios y entrecerró las ojos para clavar su mirada sobre Prilla. Entonces, sin musitar palabra, se dio vuelta y salió disparada corredor abajo. Sin embargo, antes de que lo hiciera, a Prilla le pareció ver también un pequeño resplandor en los ojos de Vidia.

A las hadas encargadas de los preparativos y la decoración de la celebración las encontraron en el salón de té. Cuando estas hadas no estaban preparando alguna gran fiesta, se dedicaban a ayudar a las hadas cocineras arreglando lo necesario para las comidas de rigor. En el momento en el que Prilla y Vidia entraron al salón de té, algunas de ellas ponían las mesas para el almuerzo. Otras sacaban bandejas y platos de la cocina para ponerlos en la mesa del buffet.

Las tripas de Prilla protestaron de hambre. Ella sabía muy bien que, en lo que quedaba de la tarde, muy probablemente no tendría oportunidad de comer. De manera que tragó de un bocado un pedazo de esponjado de fresas que ya estaba sobre el buffet.

Acto seguido, con la boca todavía llena, Prilla vio a Vidia hablando con Nora, una de las hadas con talento para organizar celebraciones. Prilla se acercó volando y alcanzó a escuchar la pregunta de Vidia.

—Perdona, mi palomita, ¿será posible que hayas encontrado un bolso de terciopelo negro en medio de tus preparativos para la celebración de ayer? Parece que se perdió entre los manteles.

En ese momento, Nora se ocupaba de poner los cubiertos en una mesa y, sin siquiera levantar la cabeza, replicó:

—¿Quieres decir el bolso de terciopelo con la corona dentro?

Vidia y Prilla no podían creer lo que oían. ¿Acaso Nora sabía dónde estaba la corona? Y en ese caso, ¿por qué no había dicho nada durante la reunión de emergencia?

Vidia habló primero:

—¡Sí, sí! —exclamó—. ¡Justamente aquella con la corona dentro! A ver, Nora, ¿dónde está?

Nora por fin levantó la cabeza, sorprendida ante la agitación de la voz de Vidia.

—Bueno, pues sacamos la corona del bolso de terciopelo y la arrojamos en el trastero junto con las otras coronas —dijo Nora con toda la naturalidad del mundo.

Ahora sí que Vida y Prilla no lograban salir de su confusión.

—¿Qué otras coronas? —preguntó Prilla.

—Las coronas para la fiesta —contestó Nora, luego puso todas las cucharas en un montón sobre la mesa y les indicó a Vidia y a Prilla que la siguieran—. Vengan y les muestro.

Saliendo del salón de té, Nora las condujo al gran comedor, donde la fiesta se hubiera realizado la noche anterior. Un arco de globos todavía adornaba la entrada al salón. Las mesas aún estaban cubiertas con manteles dorados de encajes de telaraña. Todo listo para una fiesta que nunca se dio.

En una esquina al fondo del comedor había una pequeña puerta en la que se leía DEPÓSITO. Nora voló derecho allí, la abrió y se hizo a un lado para que Vidia y Prilla pudieran entrar primero.

La habitación estaba tenuemente iluminada por la luz natural que entraba de una pequeña ventana muy alta en la pared. A primera vista, Vidia y Prilla sólo pudieron distinguir la sombra imprecisa de montones de cosas arrumadas sobre el suelo.

Pero cuando las pupilas se ajustaron mejor a la luz, las formas se fueron haciendo más y más claras.

Delante de sí tenían pilas y pilas de resplandecientes coronas... ¡y cada una de ellas parecía exactamente igual a la de la Reina Ree!

9

—SE VEN BIEN... PARECEN casi de verdad, ¿cierto? —dijo Nora muy orgullosa señalando las coronas apiladas en la bodega.

—¿Qué es esto? —replicó Prilla, la cabeza dándole vueltas.

—¿Qué quieres decir con casi de verdad? —preguntó Vidia a su vez.

Entonces, Nora alzó una de las coronas de una de las pilas y comenzó:

—Bueno, en realidad son imitaciones, por supuesto. Las hicimos para la fiesta del Día del Arribo y queríamos que fueran idénticas a la corona de la Reina Ree. La idea era dejar, ayer por la tarde, una en cada silla, de manera que cada una de las hadas pudiera ponerse su corona durante la celebración y después llevársela de recuerdo a su casa —dijo Nora sonriendo, al tiempo que se ponía una de las coronas de imitación en la cabeza y agregaba—. Bonita idea, ¿verdad?

Vidia y Prilla guardaron silencio. Se quedaron mudas observando con ojos muy abiertos los montones de coronas falsas. Entonces Nora continuó:

—Pero cuando la Reina anunció que la corona de verdad, la corona real, se había perdido —en este punto Nora le lanzó un rápida mirada a Vidia antes de seguir—, y que por lo tanto se cancelaba la fiesta, pues resolvimos dejarlas aquí.

Nora se quitó la corona de la cabeza y volvió a ponerla en la pila que le correspondía:

—Y la verdad es que ahora no sabemos qué hacer con ellas.

Vidia dejó salir un suspiro y dijo:

—Bueno, pues ya te diré qué es lo primero que debemos hacer con ellas.

—¿Qué? —replicó Nora, mirando a Vidia.

—Pues tendremos que examinar una por

una todas las coronas hasta dar con la de verdad —dijo Vidia.

Y ahora fue Nora quien se mostró confundida. Prilla procedió a explicarle todo, desde el momento en el que Rhia llevó la corona abollada al taller de Aidan hasta cuando Lympia la olvidó metida dentro del bolso de terciopelo en su carrito transportador. Los ojos de Nora empezaron a abrirse más y más por la impresión.

—Pero eso significaría que... —empezó a decir, pero se detuvo mientras ataba bien sus cabos—. Es decir, la corona en el bolso de terciopelo... aquella que arrojamos de cualquier modo aquí...

Prilla y Vidia asintieron al tiempo con la cabeza. Sí, en efecto, la mismísima corona real de la Reina, aquella irremplazable obra de arte que se remontaba a los orígenes de la Hondonada de las Hadas... estaba ahí. En algún lado dentro de esa oscura y polvorienta bodega.

¿Cómo diantre podían encontrarla en medio de cientos de coronas de imitación que eran exactamente iguales?

—Nora —dijo por fin Prilla—, ¿quién fabricó las coronas de imitación? ¿Quién se ingenió una manera de copiar la original tan bien?

—Fue Dupe —contestó Nora—. Tú sabes, uno de los hombres gorrión con talento de artista. Le tomó bastante tiempo hacerla de manera que quedara perfecta.

Poco tiempo después se veía a un sombrío Dupe, de pie en la bodega, en medio de montones y montones de coronas. Prilla, Vidia y Nora acababan de ponerlo al corriente.

—En fin, trabajé tan duro para que las coronas de imitación fuera exactamente iguales a la de la Reina —les dijo Dupe a las hadas con tristeza—, y ahora me salen con que cuánto mejor hubiera sido no haber hecho un trabajo tan bueno.

¡Pobre Dupe! En realidad había trabajado duro en la elaboración de las sorpresas para la fiesta y ahora no sólo se había cancelado la fiesta, sino que todo parecía indicar que las coronas no serían usadas jamás.

Pero Vidia no estaba de ánimo para mostrar comprensión, es más, en realidad estaba de muy mal humor. La tarea que tenía por delante no era una que se muriera de ganas de hacer. Examinar, una por una, esa cantidad de coronas para encontrar la de verdad era como buscar una aguja en un pajar.

—Entonces —le dijo impaciente a Dupe—, ¿existe una manera de distinguir la corona de verdad de las otras?

Dupe asintió con la cabeza y continuó:

—Sí que la hay, pero, curiosamente, no es mirándolas como la podríamos distinguir —dijo, alzando en la mano una corona—. ¿Ven toda esta delicada filigrana en metal? ¿Estas hileras de minerales? ¿El gran ópalo de fuego en el centro? Bueno, al hacer las coronas de imitación utilicé desechos de hojalata y joyas falsas para fabricar las cosas que les acabo de señalar. Sin embargo, con una muy buena cantidad de polvillos de estrella y un par de truquitos mágicos especiales, logré disimular todas las imperfecciones, así que es imposible saber o determinar que no son de verdad.

Las hadas observaron con detenimiento la corona que Dupe tenía en las manos. Y era cierto. Ninguna de ellas hubiera podido sospechar siquiera que aquella no fuera la corona de verdad.

Con todo, cuando Dupe utilizó la palabra "imperfecciones", a Prilla se le ocurrió una idea.

—¡Un momento! —exclamó Prilla—. ¿Recuerdan la abolladura? La corona de verdad estaba abollada y fue precisamente por eso que Rhia quería arreglarla. ¿No podríamos simplemente buscar la única corona abollada. Esa sería la verdadera, ¿o no, Dupe?

Pero Dupe negó con la cabeza.

—Me temo que no. Copié la corona real de manera exacta... abolladura y todo —dijo Dupe, señalando una abolladura en la corona de imitación que alzaba—. Ahora bien, como es apenas obvio, la magia termina por gastarse, de manera que, con el paso del tiempo, las coronas de mentira se verán como lo que son: sobras de metal con pedazos de cuarzo y piedritas de colores incrustadas.

Sin embargo, eso sólo sería cierto tiempo después y ellas necesitaban encontrar la corona ya mismo.

—Hay un aspecto de la corona real que, sin embargo, no pude copiar —agregó Dupe.

Los rostros de las hadas presentes se iluminaron al tiempo que Dupe continuó:

—Cuando la corona real se pone sobre una cabeza, ésta, la corona, inmediata y mágicamente se ajusta perfectamente al tamaño de quien se la pone —explicó—. Mi magia no daba para tanto. Así las cosas, todas mis coronas de imitación son de talla cinco.

Pero tal y como se dieron las cosas, resultó que ninguno de los allí presentes tenía cabeza talla 5. Prilla y Nora eran ambas talla 4, Dupe 6 y Vidia 3 $^{1/2}$.

Ante la información que acababan de recibir, Vidia soltó una carcajada desdeñosa y luego dijo:

—A ver, pongamos las cosas en claro... ¿lo que acabas de decir significa que tenemos que probarnos todas y cada una de las coronas? ¿Hasta que demos con una que mágicamente se ajuste a nuestras cabezas?

Dupe asintió.

—Tal cual —dijo—. Ah, y otra cosa más: tienen que formular unas palabras en el momento de ponerse la corona. Son estas palabras las que activan la verdadera magia de la corona real.

Vidia le lanzó una mirada suspicaz a Dupe.

—¿Qué tipo de palabras? —dijo por fin Vidia, pero sonaba como si temiera conocer la respuesta.

Dupe carraspeó para aclarar la voz:

—Tienen que recitar los siguientes versos:

Hondonada de las Hadas,
Madre Paloma...
El mundo que añoramos,
Objeto único de nuestro amor.

Vidia casi se frunce de asco.

—¡Puaj! —exclamó—. ¡Creo no haber oído jamás en mi vida nada más sentimental y azucarado!

Pero a pesar de todo, Prilla le dio un par de palmaditas amables a Vidia en la espalda.

—Bueno Vidia, quizá en este momento no te fluyan bien los versitos por la lengua... pero con seguridad ya fluirán sin problema dentro de un par de horas... ¡cuando los hayas repetido cientos de veces!

10

Al comienzo, Vidia no quiso probarse ninguna de las coronas. Por ningún motivo ella iba a recitar las tales palabras mágicas. Lo que hizo, a cambio, fue instalarse muy cómodamente sobre un costal de harina que había en un rincón de la bodega, y desde allí, sentada y cruzada de brazos, observaba tercamente a Prilla, Nora y Dupe probarse una corona tras otra y, claro, recitar los versos.

Pero no pasó mucho tiempo antes de que Vidia se impacientara y aburriera. Comprendió que la búsqueda sería más rápida si colaboraba.

—¡Por favor! —espetó—. ¿No pueden hacer la cosa un poco más rápido? ¡A ese paso, vamos a estar aquí toda la noche!

Dicho esto, saltó del bulto de harina, recogió una corona y se la puso en su cabecita talla 3 $^1/_2$, pero ésta resultó ser demasiado grande y se escurrió hasta cubrirle los ojos.

Entonces, en lo que apenas si podría llamarse algo menos que un susurro, Vidia, a regañadientes y a hurtadillas, recitó las palabras mágicas:

Hondonada de las Hadas,
Madre Paloma…
El mundo que añoramos,
Objeto único de nuestro amor.

La mortificaba sobremanera tener que decir en voz alta esos versos cursis. Y para empeorar las cosas, no ocurrió nada. Nada de nada. Nada de cambio. Nada de magia. La corona siguió bailando en su cabeza tanto como antes.

Entonces, Vidia, lanzó un suspiro, se quitó la corona y la arrojó al montón de las coronas falsas. Recogió otra e intentó de nuevo.

Y así continuó la cosa toda la tarde hasta caer la noche. Muy lenta resultó ser la cuestión.

A medianoche, todavía las pilas de coronas sin probar eran más altas que la de las descartadas.

Horas después, cuando ya las primeras luces del día se filtraban por la alta ventana, Vidia hizo una pausa en su búsqueda y bostezó. Alzó la cabeza para echarles una mirada a sus colegas en redondo y qué vio: Dupe, echado sobre una caja, yacía profundamente dormido con una corona puesta en la cabeza. Nora, también tenía los ojos cerrados pero se había echado cuan larga era sobre el suelo, justo en medio de las coronas que aún faltaban por revisar.

Prilla, sin embargo, seguía buscando.

De manera que Vidia alcanzó otra corona de uno de los montones sin examinar. A estas alturas, ya el trabajo lo hacían por piloto automático. Alzar corona, poner en la cabeza, decir palabras y arrojar. Alzar corona, poner en la cabeza, decir palabras y arrojar...

Así las cosas, para cuando en efecto ocurrió lo que ocurrió, Vidia casi se lo pierde.

Alzar corona, poner en la cabeza, decir palabras y...

Esta vez, cuando Vidia ya llevaba su mano a la cabeza para deshacerse de la corona, de pronto se paralizó.

¿Estaba imaginando cosas o acaso esta corona acababa de... encogerse?

Cuando recién se la puso, la susodicha corona había rodado hasta cubrirle los ojos tal y como todas las demás. Sin embargo, en esta ocasión, al

llevar la mano a la cabeza para quitársela de encima, la corona yacía perfectamente en su lugar ciñéndole la frente.

Muy lentamente Vidia se quitó la corona, la puso frente a sus ojos y la observó. De manera que esto era todo el asunto: la corona de la Reina Ree. La cosa-cosa, la de verdad-verdad. Y no pudo menos que dar un suspiro de alivio. Ahora sabía a ciencia cierta que no podría ser desterrada de la Hondonada de las Hadas. No sólo podría probar, más allá de toda duda, que no había robado la corona, sino que además había descubierto exactamente cómo se había perdido... además de rastrearla luego, claro, hasta dar con ella. Sí, Vidia había dejado su nombre libre de toda sospecha.

Fue a abrir la boca para compartir sus reflexiones con Prilla pero se arrepintió en el acto. Algo empezó a darle vueltas en la cabeza. Tan grande había sido su alivio, tan fuerte, que para empezar alcanzó a bloquear otro tipo de emociones muy diferentes. Emociones que ahora empezaban a aflorar: ira, amargura. Y algo más, también.

¿Pero qué era? Ah, sí... un deseo de venganza, de tomar revancha.

Después de todo, casi todo el mundo en la Hondonada de las Hadas había creído que ella, Vidia, había escamoteado la corona. Y ahora, aquí la tenía, entre sus propias manos. Podría hacer lo que quisiera con ella. De manera que, ¿por qué no seguir la corriente y darle la razón a todo el mundo? ¿Por qué no robarse la tal corona? Es más, casi con seguridad que podría robársela y salirse con la suya. Podría ocultarla a los ojos de Prilla, Nora y Dupe. Podría perfectamente asistir a la audiencia pública y contarle a la Reina todo sobre la investigación que habían realizado... bueno, todo excepto la parte en la que ella misma había encontrado la corona en la bodega. El testimonio que hasta cierto punto darían las demás personas involucradas arrojaría dudas suficientes como para librar a Vidia de culpa. Y sin embargo, ja, ¡ella sería la depositaria de la verdadera corona real!

Vidia no había musitado palabra desde que hizo su descubrimiento. Y tampoco había quitado los ojos de encima de la corona.

Ahora, finalmente, alzó la vista en busca de Prilla y, para su sorpresa, se topó con los ojos de Prilla clavados en los suyos. De hecho, era como si Prilla la estuviera atravesando con la mirada.

Y Prilla sabía muy bien lo que estaba pasando dentro de la cabeza de Vidia.

En el patio de la Casa del Árbol, la Reina intentaba darle inicio a la audiencia.

—¡Por favor, todo el mundo! —gritaba por encima del barullo—. ¡Por favor, silencio!

Poco a poco, pero de manera consistente, la cháchara de hadas y hombres gorrión se fue reduciendo hasta que finalmente se aplacó del todo. Todos y todas habían venido a escuchar a Vidia, a oír qué tenía que decir. Igual que la noche de la reunión de emergencia, todo lugar cómodo donde era posible sentarse, todo hongo o túmulo de musgo, ya estaba ocupado.

La Reina Ree ocupaba su sitio, de pie, justo frente a la Casa del Árbol. Un haz de luz de media mañana que se filtraba por entre las hojas caía sobre ella como si proviniera de un reflector en un teatro. Vidia, de pie, a la izquierda de la Reina, guardaba sus manos entrecruzadas a su espalda. A unos treinta centímetros frente a Vidia, Prilla permanecía sentada sobre un hongo en la primera fila de la multitud aglomerada y se veía nerviosa. Prilla, quiero decir.

—Vidia —empezó pues a decir la Reina Ree—, esta audiencia constituye tu oportunidad para que hables sobre lo que se te acusa. Sabrás que se te acusa del robo de la corona real.

En este punto, le hizo una señal con la mano a Vidia para que se acercara al centro del podio y agregó para terminar:

—Escuchemos pues todos, con corazón y mente abiertos, todo lo que Vidia tenga por decir.

La Reina Ree dio un par de pasos atrás y Vidia se acercó al podio, las manos aún a su espalda.

—Y bien —dijo Vidia con voz clara y fuerte—, en realidad yo no tengo absolutamente nada que decir.

Haciendo una pausa, sacó una de sus manos

escondidas a su espalda y se la ofreció a la Reina: sobre la mano descansaba la corona.

—Supongo que este gesto habla por sí solo —agregó Vidia con sonrisa irónica

Una exclamación de sorpresa cundió entre la multitud.

—¡De manera que sí fue ella quien se llevó la corona! —gritó Campanita.

—¡Y lo admite! —gritó alguna otra persona en medio de la multitud.

—¡Destiérrenla! —gritó aún otra más.

La Reina Ree se aproximó al podio para dirigirse de nuevo a la muchedumbre y, para hacerlo, alzó sus manos.

—¡Por favor! —exclamó—. Deben guardar silencio durante la audiencia. De lo contrario, no tendré más remedio que llevarla a cabo en privado.

Una vez más el silencio se apoderó de la multitud, la Reina Ree giró para quedar frente a Vidia y recibió la corona de manos de ésta.

—No acabo de entender —dijo la Reina—. ¿No quieres decir nada respecto a dónde encontraste esto o por qué está en tus manos?

Vidia negó con la cabeza.

—No —replicó Vidia—. Pero, si a ti, mi estimada Reina, te parece bien —continuó Vidia sonriendo con dulzura al tiempo que le hacía una profunda reverencia a la Reina—, sí me gustaría invitar a algunas personas para que sean ellas quienes hablen.

La Reina asintió. Vidia recorrió con sus ojos el público y anunció:

—Me gustaría pedirles a Rhia, Aidan, Twire, Lympia, Nora y Dupe, que por favor se acerquen aquí.

Uno por uno, las cuatro hadas y los dos hombres gorrión volaron desde su lugar en la multitud hasta instalarse, no sin cierto bochorno, de pie al lado de Vidia.

Una vez que los seis le dieron la cara al público, Vidia le hizo un gesto a Rhia y le dijo:

—Rhia, ten la delicadeza, mi amor, de contarle a todo el mundo qué hiciste con la corona aquella mañana en la que se iba a celebrar el Día del Arribo.

Y así, Rhia procedió con su historia, aquella

de cómo la corona de la Reina había tenido un largo y acontecido periplo por toda la Casa del Árbol. Tímidamente, Rhia contó aquella parte de la historia que le atañía: cómo había llevado la corona para que fuera reparada y cómo había malentendido un gesto de Aidan con la mano.

—Si sólo no hubiera hecho todo con tanta prisa —gimió Rhia.

Aidan retomó en ese punto la historia. Les contó a todos que los tapones que entonces tenía puestos en las orejas le habían impedido oír a Rhia y luego narró cómo Twire había recogido sin querer la corona junto con el desecho metálico.

Y así sucesivamente... el cuento fue narrado, paso a paso, por cada uno de los protagonistas: de Aidan a Twire, a Lympia, a Nora, a Dupe. Cada uno explicó el papel que había jugado en la desaparición de la corona.

—... y así, una vez que les conté cómo era posible reconocer la verdadera corona de las falsas— dijo Dupe redondeando su parte de la historia— todos empezamos a probarnos las coronas una por una.

Llegado a este punto, se sacudió de hombros y se dirigió a Vidia:

—Hasta que por último, Vidia la encontró. La corona de la Reina.

Y esto parecía indicar que colorín colorado esta historia se había acabado.

Sólo Vidia y Prilla sabían que una parte de la historia, hacia el final, no se había contado. Y fue justamente aquella parte en la que Vidia casi se convierte en el hada maligna que muchos en la Hondonada de las Hadas pensaban que en efecto era. Y era también la parte del relato en la que Vidia optó por lo mejor.

Vidia, desde el podio, le lanzó una mirada de reojo a Prilla, Prilla le sonrió y, en ese instante, algo muy extraño ocurrió: Vidia le devolvió la sonrisa a Prilla... y no fue una de esas sonrisas falsas, empalagosas y horribles que Vidia acostumbraba dibujar en sus labios. Se trató, más bien, de un genuino gesto de gratitud por parte de Vidia a la ayuda que Prilla le brindó. Prilla sabía que jamás habría de oír un "gracias" de viva voz. Prilla sabía que, a partir de ese momento, lo más probable era que Vidia jamás volviera a mencionar el asunto. Sabía que esa sonrisa era todo lo que iba a recibir.

Pero era más que suficiente.

Entonces, la Reina Ree dio un paso adelante para dirigirse de nuevo a la multitud.

—Y bien —dijo— creo que, por lo menos a mí, el asunto me queda totalmente esclarecido. No me cabe duda de que todos los demás, ustedes, coincidirán conmigo.

Recorrió con sus ojos a todos los presentes y todos los presentes asintieron en silencio.

—Una cosa más —agregó la Reina acercándose a Vidia, colocándole una mano sobre el hombro—: A ti, Vidia, te debo una disculpa. O mejor dicho, todos nosotros te debemos nuestras excusas. Te acusamos de algo que no habías hecho. Y te debemos también las gracias porque trabajaste duro por recuperar la corona y devolverla a salvo. Así que —agregó para terminar la Reina, dirigiéndose ahora a la multitud—, para celebrar el acontecimiento he resuelto reprogramar la fiesta.

La multitud lanzó hurras y ovaciones.

—Sólo que esta fiesta ya no será exclusivamente la celebración del Día del Arribo en honor mío sino que será también una fiesta para Vidia —dijo la Reina, haciendo una pausa en este punto para interrogar a Vidia con la mirada—. ¿Aceptas ser nuestra invitada de honor? —le preguntó la Reina.

Vidia sonrió.

—En serio, Reina Ree, me halagas... —empezó a contestar Vidia. Sin embargo, a partir de este momento, su voz se cargó de profundo sarcasmo—: ...pero la verdad es que prefiero ponerme a buscar como loca por ahí alguna otra chuchería tuya perdida antes que asistir a una fiesta tuya.

Dicho esto sonrió y alzó vuelo.

Al unísono, la multitud se quedó muda y atónita ante la grosería de Vidia. ¡Decir semejante barbaridad cuando la Reina acababa de hacer todo lo posible por mejorar las cosas!

Pero, como ya se ha dicho, Vidia no es precisamente una de esas personas que se va con rodeos... Vidia no tiene pelos en la lengua.